郑栗儿/著
菊子/绘

大师密码 A-Z系列

大师密码H

谁家的小孩这么皮！

U0837251

人民东方出版传媒
People's Oriental Publishing & Media
東方出版社
The Oriental Press

图书在版编目（CIP）数据

大师密码．H，谁家的小孩这么皮！/郑栗儿著；菊子绘．—北京：东方出版社，2015.10

ISBN 978-7-5060-8700-1

Ⅰ．①大… Ⅱ．①郑… ②菊… Ⅲ．①儿童故事—作品集—中国—当代 Ⅳ．① I287.5

中国版本图书馆 CIP 数据核字（2015）第 259160 号

本书由台湾东初文化事业股份有限公司独家授权
中文简体字版专有权属东方出版社
著作权合同登记号 图字：01-2014-7453 号

大师密码 H：谁家的小孩这么皮！
（DASHI MIMA H: SHUIJIA DE XIAOHAI ZHEMEPI!）

作　　者：郑栗儿
绘　　者：菊　子
产品经理：张媛媛
责任编辑：张媛媛
出　　版：东方出版社
发　　行：人民东方出版传媒有限公司
地　　址：北京市东城区朝阳门内大街 166 号
邮政编码：100706
印　　刷：小森印刷（北京）有限公司
版　　次：2016 年 3 月第 1 版
印　　次：2016 年 3 月第 1 次印刷
印　　数：1—5 000 册
开　　本：720 毫米 ×950 毫米 1/16
印　　张：4.5
字　　数：42 千字
书　　号：ISBN 978-7-5060-8700-1
定　　价：18.00 元
发行电话：（010）64258117 64258115 64258112

版权所有，违者必究 本书观点并不代表本社立场
如有印装质量问题，请拨打电话：（010）64258123

目 录

出版前言

每个父母都希望孩子未来能出类拔萃，并在孩子的教育问题上倾尽心力。

许多孩子长大后成熟乐观，在社会上如鱼得水，但不少人成年后并不快乐。他们即使地位显赫、经济条件优越，依然郁郁寡欢。带来快乐的因素有很多，其中起决定作用的则是人格。面对同样的问题，不同的人格往往造就不同的结果。

怎样才能培养健全的人格？我们不妨到传统文化中去寻找答案。几千年来，儒、道、佛相得益彰，共同塑造着国人的精神世界。儒家关切社会的治理，道家关怀生命自然状态的保持，而佛家则关心人生痛苦的解除。故此，历史上就有“儒家治世、道家治身、佛家治心”的说法。

今天很多人习惯于将佛教简单理解为一种宗教，有的人甚至认为它是封建迷信。如果去掉宗教的外衣，它其实是一座充满智慧，兼具心理、品德教育功能的文化宝库。

为此，我们从台湾引进了这套“大师密码”A–Z 系列。这套书以 130 个佛教大师的成长故事，体现了 130 个美好的人格特质。沉着、孝顺、无畏、远见……从这些有趣的故事里，孩子们不但可以学会如何获得成功，更能明白如何倾听内心的声音，获得快乐。

这套书结构编排巧妙，集合了台湾优秀的作家及插画师。书中故事生动活泼，插画精美，在台湾广受好评，曾获得台湾“第 27 次中小学生优良课外读物推介”。相信它同样会得到大陆青少年朋友的喜爱。

大师的密码　成功的特质

在我还是青少年时，就很喜欢阅读佛教大师的传记故事。可以说，我的人格就是从阅读大师的史传故事，点点滴滴建立起来的。

不论大人、小孩都喜欢读故事，法鼓文化历时两年的筹备，制作了这套有丰富精美插画的“大师密码”A–Z系列。这套书中，选出130个“大师的美好特质”，一个特质就是一个大师故事，让孩子在趣味的故事中自然吸收大师的养分。

我曾指出佛教的高僧必须具有四大条件：持戒清净、修行精进、慈悲济众与护持佛法；如果转换成现代人的语汇，就是自律、认真、宽大、懂得回馈，而这些正是所有成功人士必备的条件。

很多家长以为孩子学佛会变得消极、不具竞争力；如果从大师的四大条件来看，这样的想法完全错误！孩子接触佛法绝对会更积极、健康，能为他们的一生奠定稳固的基础。

大师们的成就绝非偶然，也没有人一出生就是大师，父母应该提供这样的环境，让人格正在成长形塑中的孩子，吸收历代大师们的生命菁华，转化为他们自己的。我相信这一套“大师密码”A–Z系列，能够成为孩子们成长的助缘！

聖嚴

台湾法鼓山禅修文教体系创办人

谁家的小孩这么皮!

大师密码

Honesty 诚实

罗睺罗是佛陀的亲生儿子，才十多岁就准备要继承迦毗罗卫国的王位，但佛陀认为幼王执政非人民之福，所以便带着罗睺罗出家了。

罗睺罗是佛教第一个出家的儿童，为此佛陀特别制定了沙弥制度，让罗睺罗拜舍利弗为师。罗睺罗在正值贪玩好动的年纪出家，加上僧团都是年长的长辈们，没有可以交谈讨论的同龄朋友，所以刚出家时，常喜欢开玩笑捉弄人。

但是罗睺罗在接受了佛陀的劝告后，不但从此不再说谎，还成为了一名能够忍辱负重的圣者。他不论被欺负殴打，还是床位被占无法睡觉，都没有怨言地默默承受，以此来磨炼自己的身心。难怪佛陀会称赞罗睺罗，说他是密行第一的弟子！

小档案 罗睺罗

- 国籍：印度
- 别称：佛陀十大弟子密行第一
- 专长：忍辱持戒
- 影响：佛教第一位沙弥
- 事迹：改变说谎恶作剧的习惯，成为密行持戒的圣者

“这是谁家的孩子？真是调皮！”

“算了，他只是个小沙弥而已，不用跟他一般见识。”

两位原本兴高采烈前来拜会佛陀的居士[1]，你一言我一句愤愤不平地抱怨着。倒不是因为没有见到佛陀的关系，而是他们被耍弄了，耍弄他们的竟然还是一个童心未泯的小沙弥[2]。

❶ **居士**：不出家而皈依佛门，修行佛法的人。

❷ **沙弥**：指佛教僧团中，尚未受完整戒律，年龄在七岁以上、未满二十岁的出家男子。

事情是这样的：为了向佛陀请益，一大早，两人就穿戴整齐，出现在王舍城外的温泉林。但他们搞不清楚佛陀现在是在东边的竹林精舍[3]，还是在西边的灵鹫山，这两个地方相距两里多的路程，一来一回也要花上好半天。

“佛陀究竟在哪里呢？”两人傻怔在原地，不知如何是好。

这时温泉林出现了一个白净可爱的小沙弥，正在打扫树上掉下来的落叶，听见他们疑惑的谈话，便说：“佛陀现在正在竹林精舍里，要赶快去，不然等一下他就会到灵鹫山去了。”

两人喜出望外，连连感谢这位小沙弥的指点，转头便往竹林精舍的方向快步走去。小沙弥看着他们的背影，忍不住偷偷一笑。

[3] **精舍**：寺院的别称。

没想到他们竟然扑了个空，两人不禁失望地问精舍里的僧人：“是不是因为我们来得太晚了，佛陀已经去灵鹫山了呢？”

对方却这样回答：“没有啊！佛陀一直都在灵鹫山，还没有来这里。”

见不到佛陀的两位居士只好又赶往灵鹫山，跑得满头大汗、气喘吁吁，灵鹫山的僧人露出抱歉的神色：“不好意思，你们大概错过了，佛陀刚刚去温泉林了！”

等他们赶去温泉林，又碰到了刚才的小沙弥，两人已经快要失去了好脾气地问：“佛陀究竟在哪里？”

小沙弥看他们气急败坏的样子，笑了起来:“你们来晚了，佛陀刚刚才从这里去了竹林精舍。”

原来这小沙弥之前跟他们开了个玩笑。两位居士你看看我、我看看你，无奈地又去了竹林精舍，边走边念叨这个顽皮的小沙弥，他们万万没想到这小沙弥正是佛陀的儿子——罗睺罗。

类似这样的恶作剧，发生不止一次了。这是罗睺罗最近迷上的整人游戏。没办法，身为僧团最小、也是第一个出家的沙弥，虽然成天跟大人们在一起学习佛法，但他终究还是个天真的孩子。不过很快地，佛陀知道了他恶作剧的行为。

因为佛陀意外出现，且神色威严，温泉林这天格外安静。罗睺罗一看到佛陀走来，赶紧打了一盆洁净的清水，恭敬地向他顶礼后，为坐下的佛陀洗脚。

佛陀将双脚放进盆内，看着罗睺罗仔仔细细把脚洗得很干净，却始终没说一句话，罗睺罗只当佛陀正在沉思，并不以为意。

洗完并擦干后，佛陀突然指着那一盆已经污浊的水问罗睺罗："这水可以喝吗？"

罗睺罗愣了一下，不明白佛陀怎么会突然这么问：“不行，因为脏了！”

佛陀点头“嗯”了一声，接着以严厉的口吻说道：“你觉不觉得你就像这一盆脏水一样污浊不净？”罗睺罗吓得不敢回话，不知自己哪里做错了，让佛陀这么生气。

“你幼年时就离开皇宫出家，虽然还不是正式的比丘，但也受了沙弥戒。如果不谨言慎行，随便开人家玩笑，欺骗人家，也算是犯戒。犯了戒就不再清净，不就像这一盆水一样脏吗？”

佛陀的这番训话，让罗睺罗感到很惭愧，脸都红了，他知道佛陀讲的就是自己捉弄别人的事。

“我真的不是故意的，我只是觉得好玩而已。”他低声地说。

佛陀又指着洗脚盆说：“你怕把这个盆弄坏吗？”

罗睺罗摇摇头：“它是铁做的，应该不容易弄坏。”

佛陀断然地回答：“那你就错了，你不爱护这个盆，大家也不会爱护你，因为你就是这个盆！如果你认为有些坏事做了没关系，而不注重自己的言行举止，那你就会失去威仪，别人也不会敬重你了。”

孩子气的罗睺罗，被父亲说得忍不住流下眼泪来，头埋得低低的跪下说：“我再也不会说谎了！我一定会诚实。”

佛陀拍拍罗睺罗的头，温柔地说:“我跟你讲一个故事。”罗睺罗最喜欢听佛陀讲故事了，佛陀讲的每一个故事都很好听。他擦去了泪水，静静地听着。

“从前有一个国家，国王养了一只好大的大象。每次打仗的时候，国王就为大象的身体穿上一层厚厚的盔甲，脚上绑着弯弯的利刀，耳朵上插着长剑，两只象牙则捆着尖矛。每次带着这只大象出征，都是无往不胜。可是对大象来讲，最脆弱的地方并不是那些部位，而是它的长鼻子，所以它每一次都要把鼻子紧紧藏起来，不让敌人攻击到。有一次，敌人识破了大象的弱点，用箭直射它的鼻子，大象当场就倒地死了。

你也应该像大象保护鼻子一样，好好地保护你所说的每一句话，如果你随便说妄语戏弄他人，看似没什么，其实已经伤害到你的智慧了。”

罗睺罗这一次是彻底悔改了。此后，他都记得要好好保护他的“长鼻子”，不再随便开人玩笑了！这样的习惯，一直到他长大后都保持着，因此而成为一个对任何细节都谨慎小心的修行者，严格地守护着自己的善行。

“请问，佛陀现在在哪里呢？”事后，还是有人再次询问他。

“佛陀正在竹林精舍说法。”罗睺罗这样回答。

“真的吗？”有人还是忍不住小小怀疑一下，害怕又上当了。

“当然！”罗睺罗摸摸自己的鼻子，给了笃定的答案。

我的师父开窍啦！

大师密码

Humorous 幽默

如果你有比老师更好的解题方法，会勇敢提出吗？

中国福州大中寺有位古灵禅师曾遇到这个问题，年纪轻轻的他已经开悟了，反倒是指导他学佛的老师父还没开悟哩！这可怎么办呢？如果他直接给师父说破，怕伤到师父的心；不说的话，又无法报答师父的恩情。幸好他总能够以幽默的言语，巧妙地为师父点拨上几句。

原本师父还以为古灵在外参学多年，没什么进步，让他大失所望了，不得已只好派他到厨房工作。直到师父知道了古灵先他一步开悟，这才感到安慰呢！

如果你的学问能超越老师，老师只会感到欣慰，绝不会生气的。

小档案 古灵

- 国籍：中国
- 法号：神赞
- 专长：禅法
- 影响："古灵揩背"为著名的禅宗故事
- 事迹：帮师父洗澡擦背时，以幽默禅语点化师父

芙蓉山的老和尚最近很开心，因为他最欣赏的弟子古灵回来了。原以为他和百丈禅师学禅后，就不会再回来，没想到秋天的枫树才落下第一片叶子时，古灵就出现在枫树底下了。

“你怎么出现在这里，不是应该在百丈山吗？”老和尚满脸诧异地问古灵。

“我回来服侍您啊！”古灵这么回答。

“哎呀！我哪里需要你服侍？你有慧根[1]，能够早点悟道才是要紧事，管我这个笨和尚干什么？对了！你这几年跟随百丈禅师参学，得到什么证悟了没有？”

古灵摇摇头：“没有！”

❶ **慧根**：表示一个人具有能够领悟佛法微妙精髓的智慧根器。

听到这个答案，老和尚愣了一下，心想：“我这弟子是最灵巧的了，怎么跟名闻天下的百丈禅师学不到什么东西？”

但他觉得也不要过分要求，便安慰古灵说：“没关系！那我们就回寺里再慢慢参悟也是可以的。”

事实上，古灵早就已经因为百丈禅师的点拨而悟道了。开悟[2]后的古灵，由于念及老和尚往日的恩情，才回到芙蓉山：“如果没有师父帮我剃度[3]出家，带我入门，我也不会有今天悟道的机会。可惜师父还没开悟，我应该回到他身旁，助他一臂之力，以报答他的恩情。”

❷ **开悟**：体悟宇宙实相的真理，并认清生死烦恼的原因，不再被迷惑。

❸ **剃度**：为剃除须发出家的一种仪式。

对老和尚而言，回来后的古灵，似乎更加古灵精怪了，一天到晚跟师父天马行空的，尽说一些听不懂的话。

例如，有一天老和尚烧了一锅热水洗澡，古灵拿着一条布巾帮师父擦背。擦着擦着，他突然拍拍师父的背说："好一座佛堂啊！可惜啊！可惜！"

正闭目养神的师父，惊讶得眼睛一睁，疑惑地问他："可惜什么？"

"可惜有了一尊佛，却不是神圣的。"

师父回过头，看着摇头晃脑的徒弟，忍不住扑哧一笑："你在说什么呀？"

古灵对师父露出笑容，大声说：“没关系！佛虽然不是神圣的，但还是会发光的！”

师父也跟着哈哈大笑起来，他觉得徒儿真傻，哪里来的佛不是神圣的？不是神圣的佛竟然还会发光！

师父并不明白古灵的良苦用心，他是用一种幽默的方式想让师父开悟——把老和尚的“身体”比喻成“佛堂”；把他“未开悟的心”比喻成“一尊还不神圣的佛”，如果开悟了，那就是“神圣的佛”了。但就算佛不是神圣的，也还是会发光的，也就是还有开悟的机会。

还没开悟的老和尚，只觉得弟子的行为跟常人不太一样，便不再理会，继续洗他的澡：“好啦！赶快擦背吧！不要再管什么佛不佛的。”

古灵只好继续帮师父擦背，擦着师父的这身佛堂，他的心里暗自期待：“加油，终有一天，您一定会开悟的！我也要继续努力。”

没过几天，古灵又出怪招了！

一个空闲的午后，老和尚闲适地坐在窗下读经。初秋最舒服的阳光洒在窗口，形成了一道迷人的光束。也不知哪里飞来的一只苍蝇，在窗边飞来绕去。可能是被阳光给吸引住了，想要飞出窗外，却被窗纸给隔住了，一直拍翅盲目地乱撞，把窗户敲得砰砰直响，却怎么飞也飞不出去。

苍蝇撞窗的声音吵到了读经的老和尚，他暂时放下经书，端详着这只找不到出路的苍蝇。这时，为师父端来茶水的古灵也注意到这一幕。这只苍蝇刚刚从窗缝的小纸洞飞进来，现在找不到路出去，以为看见的光就是出路，却不知道眼前还有一层窗纸。

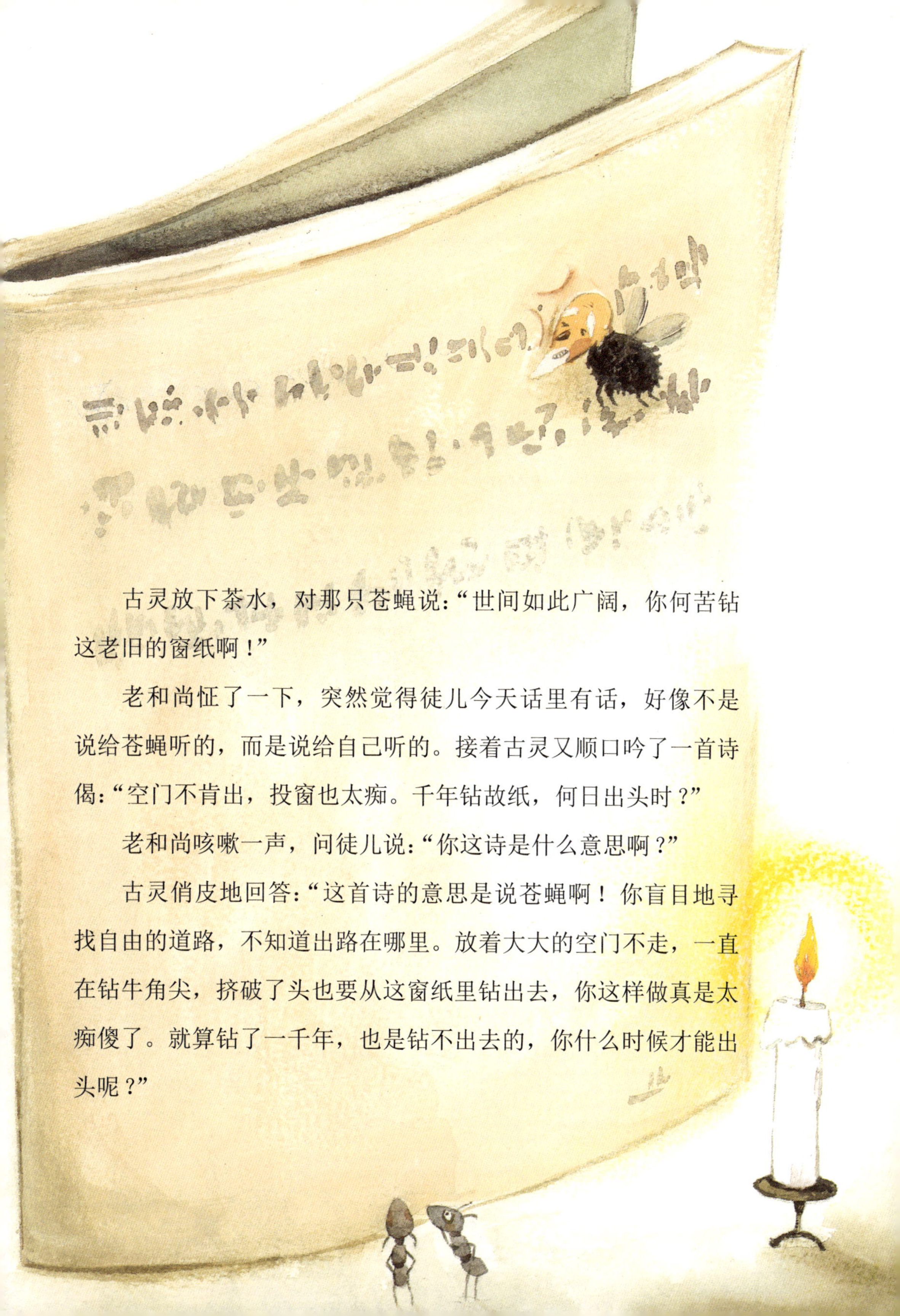

古灵放下茶水，对那只苍蝇说：“世间如此广阔，你何苦钻这老旧的窗纸啊！”

老和尚怔了一下，突然觉得徒儿今天话里有话，好像不是说给苍蝇听的，而是说给自己听的。接着古灵又顺口吟了一首诗偈：“空门不肯出，投窗也太痴。千年钻故纸，何日出头时？”

老和尚咳嗽一声，问徒儿说：“你这诗是什么意思啊？”

古灵俏皮地回答：“这首诗的意思是说苍蝇啊！你盲目地寻找自由的道路，不知道出路在哪里。放着大大的空门不走，一直在钻牛角尖，挤破了头也要从这窗纸里钻出去，你这样做真是太痴傻了。就算钻了一千年，也是钻不出去的，你什么时候才能出头呢？”

古灵为苍蝇吟的这首诗让老和尚大笑不已，他看着古灵，劈头就问：“你好像不是在说苍蝇，而是在说我呢！哈哈！你老实说吧！你这次回来，不但行为古怪，连说话都怪异得很，你到底想怎样？”

真是知徒莫若师。既然师父问了，古灵只好坦诚以告：“事实上，我在百丈禅师那里已经悟道了！而师父——”

老和尚接过他的话：“而师父我还没悟道，你为了尊重我，不好意思为我说法，只好拐弯抹角找机会来点化我。”

古灵低头不语，老和尚又笑了起来：“真有你的！你能够开悟，师父高兴都来不及，怎么会跟你计较？快！快！我们升起法座[4]，让你来为我们好好说个法。”

❹ **法座**：说法所用的高座。

老和尚当然知道古灵的孝心，有这样的好徒弟，他真是感动极了！赶忙让其他弟子们聚在法堂上，郑重地邀请古灵上台说法。

古灵登上法座，朗声说道：“我们的心是没有杂染的，像一块黄金一样，不会失去它的光泽，可惜我们常被世俗的烦恼遮蔽，而没有发现这块黄金。只要把烦恼消除，就可以成佛了！”

老和尚在座下，字字句句听得仔仔细细，当古灵说完时，他“噢”一声，当下就开悟了。古灵看看师父，知道自己的心血没有白费，幽默地向大家宣布：“有只苍蝇终于飞出去了！”

佛教大医圣

大师密码 Healing 治愈

两千五百年前的印度，没有现代化的医学设备，耆婆却拥有一双不可思议的妙手，能够只用一把刀就帮病人顺利地完成手术。不但没有大量出血、感染病毒的问题，而且从开刀到伤口缝合，全程无痛感。

医术这样高明的医圣，原来却是个路边弃婴，幸好被好心的王子领养回家，这才救回一命。长大后的他选择学医，老师当时就预言他将成为全世界最优秀的医生。耆婆不但医术高明，而且是医心仁术，总是能体贴病人的病痛。比如他曾多次用催眠法帮人无痛开刀，病人醒来都还不知道手术已经完成了呢！

耆婆在向佛陀学佛后，成为了僧团的医师，负责为佛陀及僧团法师治病。正因为他的妙手回春，多次治好了佛陀与弟子们的疾病，被敬为佛教医圣。

小档案 耆婆

- 国籍：印度
- 别称：佛教医圣
- 专长：医疗
- 影响：佛教医学奠基者
- 事迹：有个孩子已经被宣布死讯，幸遇耆婆诊治知道是肠子闭塞昏迷，立即动腹部手术，让孩子死里逃生

诊所里弥漫着浓郁的药草气味，各季节里所采收的奇特药草散落在室内各处，它们多来自于雨林的林木和山谷的热带花朵中，准备用来治疗患者的疾病。

这是古印度德叉尸罗国第一名医宾迦罗的诊所。他正看着他的得意门徒——来自摩揭陀国王舍城无畏王子的儿子耆婆——为病人把脉的情况。

“你的肠子堵塞，所以造成全身发热。”耆婆清楚地说明病症，顺手翻阅抄写在棕榈叶上的笔记，开出了药方。

七年前还是一个稚嫩生手，到现在已能将师父所教的各种医术融会贯通，耆婆所展现出的过人功力真是令人刮目相看。

宾迦罗医师点点头。当病人离开后，他对耆婆说道：“看来我没什么可以再教导你的了！等通过明天最后一场测试，你就可以学成归国了。”

隔天清晨，耆婆和其他三位师兄出现在诊所里，一起参加这场毕业考试。宾迦罗医师晃动着满头的白发，神采奕奕地说：“你们来这里学习的时间长短不一，但总算到了结业的时刻。现在我要你们花一天时间，去寻找一件不能做成药的东西。”

这还不容易！三位师兄兴冲冲地走出诊所，各自散去，留下耆婆还踌躇地站在原地：“什么东西是不能做成药的？”凭借耆婆的才智，这么简单的题目都想不出答案吗？

苦思良久的耆婆最后动身到微风拂岸的芦苇地，寻遍了被水滋润的植物，最后还是空手离去。

接着又来到了蔓藤延伸的高山峭壁，歪头久视着被劲风侵袭的岩缝野花，却没伸手去摘任何一朵。黄昏时，他蹲在乳白色的矿地上，用手触摸着地面粗糙的矿石，太阳在他的疑惑中下山了。

最后他双手空空地回到诊所，师兄们早已久候多时：“你跑去哪里了？等那么久还不回来！”

老医师要他们交出所找到的东西。大师兄拿出从未见过的野草：“我找到了这棵奇怪的植物，我想一定没法做成药！”师父看了看，立刻教他如何将它做成药材。

二师兄带回了一具腐烂的动物尸体，师父笑着把它洗了洗，熟练地把它烹煮成药。三师兄从怀里掏出一块灰色的石头，老医师把石头磨成细粉，加入蜂蜜提炼，竟然就成了治疗神经痛的精油。

轮到耆婆时，大家都等着看这小师弟找到了什么特别的东西。没想到他双手一摊，很为难地对老医师说：“我尝着水中的草，它的清凉能让沙漠热气全消；我闻着峭壁上的野花，它的香气令人缓解胸闷；我挖取了一些矿石细屑，它能治疗头脑昏沉。我跑遍了各地，就是找不到不是药的东西！我发现，只要明白物种特性，一切的草木矿石，都可以做成药。”

老医师听后满意地点点头：“你说得没错，身为一个医者，最重要的是，将世间的一切转化成甘露[1]之药，用来医治病人，让自己成为‘施甘露手’。你已经通过了考试，我可以预见你以后将是世上首屈一指的医生。”

[1] **甘露**：不死的神药，比喻佛法的法味与妙味有如甘露。

就这样，耆婆在师父的祝福中顺利学成了，同时也得到师父给他的一些旅费，于是便动身返回王舍城。在途经一个小镇时，他把身上所有的盘缠都用光了。正当耆婆不知如何是好时，他恰巧听说附近一位有钱人家的女主人长年受头痛所苦。耆婆听到后眼睛一亮，知道自己的机会来了，于是他来到这户人的家中，请看门的人转达希望为他家女主人治病的心愿。

得知来者是一位年轻的医生，女主人满脸不屑地说："我这病十二年来不知看过多少医生，连医术精湛的老医生都治不好，更何况是没经验的年轻医生，叫他走吧！"

男主人随后亲自到门口回绝，但浑身散发着自信与热忱的年轻医生却不以为意，他提出一个建议："这样好了，如果医不好的话，我分文不取。"

男主人看这医生虽然年轻，却似乎颇有内涵。既然对方这样说了，就姑且一试，反正也没什么损失，便把他带去见妻子。

耆婆问了女主人一些症状，又为她把脉，观察气色，转头对她的丈夫笃定地说："我可以医好夫人的宿疾。"夫妻俩四目相望，半信半疑，不知道这位年轻医生哪儿来这么大的信心。

耆婆向男主人要了一些牛奶，加上他从行囊里取出的妙药，和在一起温煮，之后灌入女主人的鼻孔，将鼻中的一些脓液清洗干净，再使其从嘴中流出。原来她的头痛是由鼻腔炎所引起的，并不是原先医生所诊断的脑炎。耆婆以当时盛行的灌鼻法为夫人医治，果然治好了她长年头痛的毛病。男主人喜出望外，赠予耆婆十分丰厚的赏金，让他顺利回国。

当耆婆回到王舍城后，和已经皈依佛陀的祖父一起参见了佛陀，从此成为一名虔诚的居士。佛陀还开导耆婆，要他将佛法运用在治愈病患上：“如果只注重表面的医疗，而不找到生病的根源——烦恼与执着，彻底从心灵来解决身体的健康问题，也是无济于事的。”

当然，耆婆也是照顾佛陀和僧团的最佳医生。他精准的诊断，一流的手术与妙方，让生病的僧人很快就能恢复健康。有一次，阿难[2]背部长了一个疮，请耆婆来治疗。耆婆看这疮已经化脓了，必须要开刀切除，否则会感染。但古代没有麻醉剂，要割这么大一颗瘤子，一定非常疼。

[2] **阿难**：佛陀的堂弟，为佛陀弟子中听闻佛陀说法最多、记忆力最好的，对于佛陀的说法多能朗朗记诵，被尊为佛陀十大弟子中“多闻第一”。

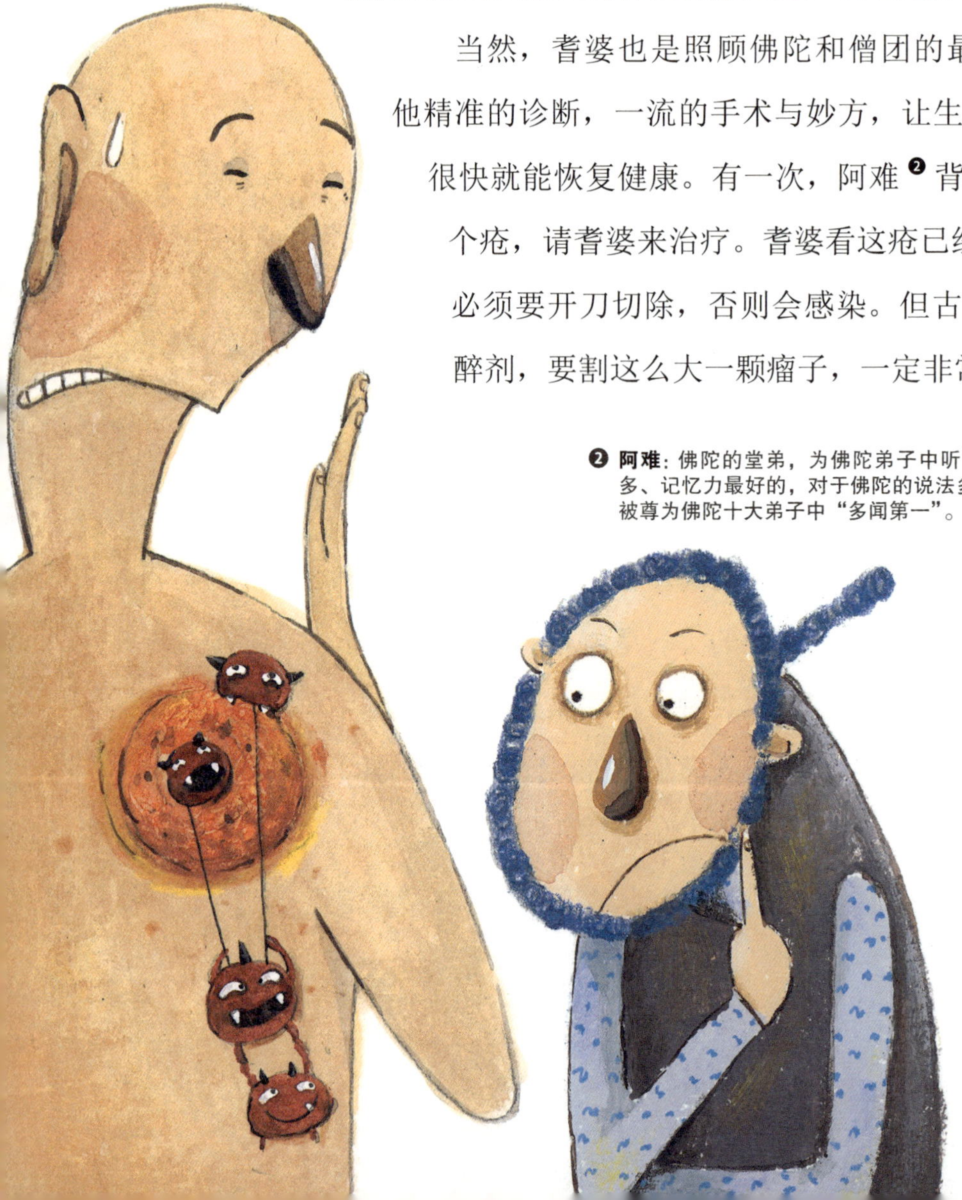

耆婆左思右想，研究可行的方案："每次佛陀说法时，阿难总是聚精会神地听法，将佛陀所说的每一个字记入脑海，而不分心。假使这时候开刀的话，阿难一定不会感觉到身体的痛苦，因为他的心神都凝聚在佛法上了。"

耆婆将这一开刀计划向佛陀报告，并且得到了许可。果然，当天在说法大会上，耆婆为阿难开刀时，阿难一点儿痛觉也没有："好奇妙，我在听佛陀说法时，耆婆的刀划在身上，我却不觉得疼痛，耆婆的医术真是太高明了！"

正是因为能够以佛陀所教导的慈悲心来理解病人的心理，耆婆最终成为了名副其实的"施甘露手"佛教医圣。

藏身桥下的神秘乞丐

大师密码

Humility 谦虚

在日本五条桥下的乞丐堆中，有一个乞丐的乞讨志愿和别人大大不同。别的乞丐都是想讨饭、讨钱，只有这位乞丐是来讨取人生真理的。他每天都在思索一个人生问题，而且神态谦和，宛如一尊地藏菩萨呢！

这位乞丐是名重一时的大灯国师，他向大应大师学禅，才一年便参透了禅宗两百多个公案。虽然前程为大家所看好，但大灯觉得自己的修行还很不够，于是听从了大应大师的建言，放弃自立门户的机会，在桥下当了二十年默默参修的乞丐。

后来大灯成为大德寺的开山祖师，生活依旧俭朴。他以严格的道风为众人所钦敬，让日本禅法渗透在日常生活的实践中。

小档案 大灯

- 国籍：日本
- 别称：宗峰
- 专长：禅修、书法
- 影响：让禅法真正落实于日本人的生活中
- 事迹：身为国师，生活却与乞丐一样清贫，不自大奢华

日本京都的五条桥上，车水马龙，昭示着繁华。桥下污浊混乱，聚集着一群乞丐。

在一群乞丐中，有一位头戴蓑帽、身穿蓑衣、手托一只木碗的年轻人也夹杂其间，跟人讨要食物。一名路过的慈祥老妇人看了他一眼，把提锅里的热饭倒到他碗里，嘴里忍不住关心：“我看你相貌堂堂，还是去找份事做，不要在这里当乞丐了。”

年轻人恭敬地点头答谢，但并不回话。用完餐后，他便闭目养神，兀立在河畔，如同一棵不动的树一般，进入了他的冥想世界。

老妇人不知道这位年轻人就是日本著名的大灯禅师，他混迹在五条桥下的乞丐堆中是有道理的。当然，整天和他相处的乞丐们也不清楚他的来历，甚至连整个日本国都不知道大灯禅师跑去当乞丐了。

往事随着河水的流动一一浮现……

“已经三年了，大应师父叫我参悟中国禅宗的‘云门关字’公案[1]，我还是参不出来！”

虽然有一点儿焦虑，但二十六岁的大灯仍然提醒自己要平静下来，不要急躁：“云门可是一代大师，我不过是一名普通的和尚，别说三年，就算是花三十年才能开悟，那也是值得的。”

没过几天，他从外头回到禅院。用钥匙打开锁后，正顺手要将门锁丢到桌上，就在这一刻，他忽然领悟了“关”字的真义。

❶ **‘云门关字’公案**：公案为禅宗高僧的言行录，可提供禅修者参考。禅宗的云门宗大师云门文偃的一字关，为非常具有代表性的禅宗公案。

“这个门锁，是用来关门的；这个钥匙，则是用来开门的。不管是什么样的门锁和钥匙，在生活中都是很重要的，却常常不经意地被我们丢到桌上。”

大灯这一悟，浑身冒出冷汗：“所谓的解脱之道，原来都在我们每一天的日常生活中，却往往都被忽略了！”

大灯将自己悟出的道理跟大应禅师报告后，师父点点头说：“和云门所参透的差不多了！”

得到大应禅师的认可后，其他僧人纷纷前来向他贺喜：“你可以开山立派了，像你这么年轻就有如此高妙的禅风，真是少有啊！”

大灯并没有被这些赞美给冲昏头，他依旧谦称自己很平常：“哪里！哪里！我还驽钝得很，需要大应师父再教导我佛法。”

他前去向大应禅师再求佛法，大应却对他说：“我对佛法的领悟不如你，但我的佛法将来会因你而兴盛。不过求法最怕的是骄傲的心，一旦你自以为了不起了，就没办法低下头来看见事物的真相了。所以今后二十年，你要抛除一切，不为人知地隐藏自己，到深山专心修行，才能够成大器。”

不久，大应禅师便辞世了。大灯回到京都，就在五条桥下加入乞丐群，开始了师父要他专心修行的二十年生活。大灯为自己立下目标：每一天，要想清楚一个人生道理，看清楚一样人间世事。

下大雨的一天，雨水透过蓑衣，渗入大灯的身体里。冰冷的雨水，使整个世界变得更加灰暗阴郁，乞丐们都躲到可以遮风避雨的地方互相取暖，整个五条桥下只有湍急的河水伴着孤独的大灯，连一只乌鸦也看不见，更别说有人会来给他食物了。

大灯却依旧一动不动地站着，寒冷加上饥饿，让人难以忍受。大灯吸了一口冷空气，告诉自己：“哈哈！这就是寒冷和饥饿的感觉，那些贫穷人家经常品尝的滋味，原来就是这样啊！”

他并不把寒冷和饥饿当作一件苦事，反而用好奇心感受着，仔细体会着贫穷人家挨饿受冻的滋味。

“在一贫如洗的生活中，一切反而变得更简单了，只要有一口饭吃，一件衣服穿就行了，不会过度地浪费，也不用费心去保护那些生不带来、死不带去的财富。只要能从物欲中解脱出来，贫穷不见得是一件苦事。”这是大灯这一天体会到的关于贫穷的心得。

这一天，骄阳灼炙，晒得身体都发烫了，街上穿梭的富贵人家，无不把车盖拉下以遮蔽阳光，前面赶马的车夫，却得遭受日晒的痛苦，有时还得忍受主人的颐指气使。

看见这种景象，大灯不禁感触：“这个肉身，不过是行走人间的工具，终究会衰老死亡的。这个主人就算多有权势，也跟他卑微的车夫一样难免一死，人们只知道贪恋肉体的舒适，却不知道要好好地运用它寻求解脱，学习如何慈悲待人。”

“来，给你的！”有时人们会用鄙夷的态度，施舍给大灯剩饭、剩菜，仿佛自己高人一等似的。也有人是为了累积功德而来布施[2]，虽然给的都是好吃的佳肴，但心里却念念不忘：“我又做了一件好事，老天爷啊！您可要让我长命百岁！”

[2] **布施**：以慈悲心给予别人各种物质与精神上的帮助，通过布施的行为能减少自己的贪心。

当然也有人是发自内心地给予，这样的人大多出身低下，或者是曾经潦倒的人。因为他们吃过苦，可以感同身受地帮助正在受苦的人。

比如有一天，大灯运气很不好，从早站到晚都没有得到任何食物。一位老乞丐跑去挨家挨户地乞讨，总算讨到一个珍贵的包子，老乞丐知道大灯一整天都没吃饭，还分了一半给他。

不管怎样的布施，大灯都一律谦恭地收下，如获得珍品一般享用。连飞到他肩上停歇的乌鸦，他也不忘分给它一口。乌鸦吃完，见到别处有食物，又飞去觅食了。

大灯微笑地看着它飞走，心想：“我们和这只乌鸦有什么两样呢，不都是为了三餐而忙？但是人有悟性，乌鸦却没悟性，如果不好好修行，那真是跟乌鸦没有两样。”

在五条桥下二十年如一日的体悟生涯，从这些不起眼的日常生活和点点滴滴中观察世人，大灯获得了无数真理，更丰富了他的内涵。果然，之后大灯回到寺院正式弘法，成为了第一位将禅法落实于生活的日本禅宗大师，开创了日本禅宗的兴盛岁月。

快乐面对每一天！

大师密码 Hopeful 乐观

真正的高手是真人不露相，隐藏能力，甚至装聋作哑，唐朝的懒残和尚就是这样一号人物，虽然外表像个又脏又臭的乞丐，早上在衡岳寺里负责收拾厨余，晚上睡牛棚，内在的修行实力却足以当上掌门人了。

“懒残”其实是别人给“明瓒禅师”取的绰号，别人是“懒得做事”“残存于世”，他却是懒得追名逐利，专吃残羹剩饭，每天任人吆喝，二十年如一日，从不发牢骚。直到不小心推开巨石露出实力，名声大到连皇帝都要召见他，他只好走避他方了。

别瞧他貌不惊人，仰慕者可真不少！像闻名中外的《老残游记》主角老残的“残”字，就是取自懒残的“残”。连他用干牛粪烤芋头，后来都成了名满天下的美食呢！

小档案 懒残

- 国籍：中国
- 别称：明瓒
- 专长：打杂
- 影响：懒残和尚随遇而安、豁达自在，成为后人仰慕的典范
- 事迹：每餐都吃别人的剩菜、剩饭，却总是心满意足

夜深人静时，一阵阵宛如天籁的诵经声，清晰地传入寄宿在寺里的读书人李泌的耳朵里。

他搁下手中的书，心想："这么晚了！和尚们应该都睡了，怎么还有人在诵经呢？"

仔细再听，那诵经声夹带着悠扬的梵唱，流露出无限的悲悯，虽然不是很大声，却响彻了整座山林，敲打着心扉，唤醒了内心深处的感动，以及无法言说的喜悦。

李泌的眼眶里盈满了感动的泪水，多年来寒窗苦读的辛苦一时都消散了。他站起来，手拿着蜡烛，步出室外，想找出这位诵经的人，看看他究竟是谁。但整个空荡荡的庭园里只有晚秋的虫声。

白天寺里的厨房好不热闹，从早到晚总有做不完的事：起火、煮饭、烧菜、洗碗……午餐刚结束，一位僧人从食堂来到厨房门口，对着里头一位穿着灰旧粗布僧服、脸上沾着炭垢的和尚大声吆喝："懒残，快来把剩下的饭菜收一收，碗盘洗一洗。"说完，也不等懒残过来，就快步走开了！原来他是嫌弃懒残不够干净。

这位在寺中专门做餐后清洁工作的懒残，平常都是吃别人吃剩的饭菜，做别人不愿做的粗活儿，像厨厕清洗、担柴、挑水等工作。因为这样，僧人们都躲得远远的，不愿跟他亲近，好像他做这些低下的工作就特别脏似的。

但懒残却不以为意，仍然乐天知命，对于日复一日的卑微生活，充满着乐观的想法：“这一定是佛陀给我的考验，让我对佛法能够领悟更深。”

“懒残，水都快没了，赶快去溪边挑水！”大家经常不管懒残是否正在收集残羹剩饭，准备填饱肚子，就叫他去干活儿。

“好！好！我现在就去。”懒残连忙答应，他拎起水桶，准备到山林里的一条清溪里打水。

另一头也来凑热闹：“懒残，厕所脏了，大师兄要你去清理。”

“喔！好好！我马上来。”懒残搁下水桶，转往厕所方向。

结果叫他挑水的僧人和要他扫厕所的和尚，却因此吵了起来：“干吗跟我抢人啊！我明明叫他先去挑水的。”另一头不甘示弱地回应：“这可是大师兄的吩咐呢！”懒残笑着跟两边调解：“这样好了，我先赶快去挑水，然后快速回来清理厕所，这样两边都不会耽误的。”

总算两人都同意了，但谁也不认输地又帮懒残加派新工作：“挑完水，还要砍柴。”“清理完厕所，还要去扫大殿外的落叶。”最后，两人又齐声说：“你快去，别弄脏了这里。”

懒残笑着低头回答："是！是！我马上就去。佛陀又来给我事做了！好开心。"

懒残只把别人鄙夷的眼光和指挥东、指挥西，当作是佛陀的恩典，不但不以为苦，还把做苦差事当作是件乐事来做，就这样在这座寺院里整整待了二十年，也没听过他抱怨过一句，只有"好好！""是是！"的答应声。

这一天，充满慈悲音调的诵经声，依然伴随着犹在冬夜苦读的李泌，他的好奇心又发作了："这诵经的人一定很特别，否则怎么能诵出这么动人的梵唱呢？"他再度起身，趁着诵经声还未停止，一路追踪到厨房边侧的一处破茅屋："咦！这不是寺里干粗活儿的懒残和尚住的地方吗？"

李泌正疑惑着：“难不成是这位其貌不扬的和尚在诵经？”因为除了懒残睡在这个破茅屋外，其他僧人都是睡在舒适的僧院内的。

李泌透过门缝一瞧，果真懒残和尚盘腿而坐，正在诵经，那回荡的经文从他的嘴里发出后，变成了曼妙的乐章。李泌不禁赞叹：“高僧啊！高僧！”心想：这时不向他请教，还要等到什么时候呢？

于是，他在门外恭敬地行礼：“师父，李泌特地前来请教。”

原以为平常老实客气、勤劳做事的懒残和尚，会欣然让自己进入茅屋内跟他对谈，没想到却吃了一记闭门羹：“你是谁？我不认识你！”

“师父的诵经声很有味道，让李泌感触良多。”李泌不放弃地又说。

“你这个书呆子，别在我这里像苍蝇一样绕啊绕的，赶紧回去读你的书……”懒残连番呵斥，就是不让李泌进去，但李泌并不以为意，仍然守着不肯离开。

寒冷的冬风吹得更紧了，懒残也骂累了，他顺手拿起身边用干牛粪烤熟的芋头在他脏衣服上抹一抹，津津有味地吃起来，吃完了，才总算跟浑身发抖的李泌说：“进来一起吃吧！”李泌捧着剩下的芋头，也津津有味地吃了起来，一点儿也不嫌脏。

懒残这时开心地说：“不错，你真是个可教之才！怎么骂你，都能够忍耐下来，不被打击，心里也不受伤，很好！”

李泌说：“我这是跟您学的，您平常不也是这样吗？”

懒残大笑：“是啊！每天遇上的每一件好事或坏事，都要用乐观正面的想法去面对，都把它当成是‘佛陀的恩典’，这样你就不会被逆境所击倒，日后必定可以出人头地。”

懒残这番奉行了二十年的教诲，让李泌顿时有所觉悟，往后他依照懒残所说的话去做，果然当了十年的宰相。

不久，寺院附近的山路开始整修了。有一天晚上风雨交加，山顶上的巨石滚落到路中央，一群人束手无策地站着，无论怎么使劲就是搬不开。正巧挑水路过这里的懒残，看大家真的没办法了，便打破沉默说：“让我来试试吧！”只见他屏息一提，慢慢把巨石提起来，往谷底一推，众人“哗”的一声，见识到懒残惊人的神力，纷纷对他敬佩不已。这个消息传回寺内，众僧又惊又愧，才知道懒残竟是个不凡的僧人。

从此，大家开始每天围拢在懒残身边，对他又是夸赞，又是照顾。但懒残并不眷恋这种受人尊重的虚荣心，趁着一次虎豹成群地盘桓在寺外时，他自告奋勇拿着竹杖去赶，没想到借机跟着虎豹一起走了，只留下他的传奇故事为世人所津津乐道。